D0928382

QUE SAVOIR SUR
LA SEXUALITÉ
DE MON ENFANT?

Frédérique Saint-Pierre
Marie-France Viau

QUE SAVOIR SUR
LA SEXUALITÉ
DE MON ENFANT?

Éditions du
CHU Sainte-Justine

Catalogage avant publication de Bibliothèque et Archives nationales du Québec et Bibliothèque et Archives Canada

Saint-Pierre, Frédérique, 1968-

    Que savoir sur la sexualité de mon enfant?

    (Questions/réponses pour les parents)

    ISBN 978-2-89619-134-5

    1. Enfants - Sexualité - Miscellanées. 2. Enfants et sexualité - Miscellanées. 3. Développement psychosexuel - Miscellanées. 4. Éducation sexuelle des enfants - Miscellanées. I. Viau, Marie-France. II. Titre.

    HQ784.S45S24 2008   306.7083   C2008-941229-X

Conception de la couverture: Quatuor
Conception graphique: Nicole Tétreault
Photos: Nancy Lessard

Diffusion-Distribution:
        au Québec – Prologue inc.
        en France – CEDIF (diffusion) – Daudin (distribution)
        en Belgique et au Luxembourg – SDL Caravelle
        en Suisse – Servidis S.A.

Éditions du CHU Sainte-Justine
3175, chemin de la Côte-Sainte-Catherine
Montréal (Québec) H3T 1C5
Téléphone: (514) 345-4671 • Télécopieur: (514) 345-4631
www.chu-sainte-justine.org/editions

© Éditions du CHU Sainte-Justine, 2008
    Tous droits réservés
    ISBN: 978-2-89619-134-5

Dépôt légal: Bibliothèque et Archives nationales du Québec, 2008
              Bibliothèque et Archives Canada, 2008

La Fondation de l'Hôpital Sainte-Justine remercie les généreux donateurs qui ont contribué au projet *UniverSanté des familles* et qui ont permis de réaliser cette nouvelle collection pour les familles.

Merci d'agir pour l'amour des enfants!

Sommaire

Pudeur, intimité

Homosexualité

Santé et développement physique

Les comportements en lien avec la sexualité

Communication

Quelques réponses à des questions d'enfants

Éducation et prévention

Annexe

Pour en savoir plus

Sexualité infantile et sexualité adulte

▶ **Quelles sont les différences entre la sexualité de l'enfant et la sexualité adulte ?**

La sexualité de l'enfant se distingue de plusieurs façons de la sexualité adulte, tant sur les plans physique que psychologique. Il est très important de ne pas confondre ce que l'on sait ou ce que l'on vit de la sexualité adulte avec ce que l'on pense savoir et ce que l'on observe de celle de l'enfant.

Tout d'abord, l'enfant est physiologiquement immature et son corps ne se parachève tout à fait sur le plan génital que lors de la puberté. De plus, l'enfant est en plein développement et sa sexualité s'organise, d'un stade à l'autre, autour de plusieurs zones sensibles du corps, outre la région génitale. Sur le plan psychosexuel, la peau, la bouche et la région anale ont une grande importance bien avant que la région génitale ne devienne un réel élément d'intérêt. Les acquisitions qui sont faites à une étape, à la phase orale ou à la phase anale par exemple, constituent les fondations permettant de passer à la suivante. C'est ainsi que la sexualité de l'enfant évolue au même titre que, d'une manière globale, il change et grandit.

Enfin, il importe de ne pas comparer et confondre les motivations des enfants avec celles des adultes. Leur rapport à la sexualité est fort différent. En effet, chez l'enfant, la sexualité sous-tend des besoins comme la curiosité, la recherche d'information, les enjeux d'identification, la recherche de plaisir et de sensations, autant de motivations qui évoluent d'une étape à l'autre et qui ne sont pas de l'ordre de la sexualité adulte. Cette dernière est régie, par exemple, par la recherche du plaisir génitalisé, par les rapports de séduction et le désir de procréation.

Pour bien comprendre les enfants, il importe de les découvrir en tentant d'adopter leur point de vue sur les choses plutôt qu'en les regardant avec nos yeux d'adultes et surtout d'éviter de projeter sur eux nos propres enjeux.

Le développement psychosexuel

▶ Quand et comment commence la sexualité de l'enfant ?

La question de la sexualité de l'enfant se pose avant même sa naissance. Dès le moment où les parents conçoivent le projet d'avoir un enfant, le bébé prend forme dans leur esprit. Au cours de la grossesse, l'enfant est « imaginé » et des attentes commencent à se former. Dans la grande majorité des cas, le sexe de l'enfant à venir ne laisse pas indifférent, et la question de savoir s'il s'agit d'un garçon ou d'une fille se pose avec insistance. Très naturellement, chacun y va de ses projections et de ses désirs.

L'entourage des futurs parents se plaît à faire ses prédictions (avec plus ou moins de succès !) et les tests diagnostiques (l'échographie ou l'amniocentèse) permettent de connaître à l'avance le sexe du bébé. Certains parents veulent en être informés dès que possible, tandis que d'autres préfèrent garder la surprise pour le moment de la naissance et préserver ainsi un peu plus longtemps le bébé imaginé.

Le fait qu'il s'agisse d'un garçon ou d'une fille détermine grandement les choix et les attitudes des parents et de l'entourage, eux-mêmes femmes et hommes, ayant chacun leur histoire en lien avec le sexe et avec d'autres hommes et d'autres femmes, leurs parents, leurs frères et sœurs, leurs amis ou leurs amours. Le sexe du bébé influence évidemment le choix de ses vêtements, leurs styles et leurs couleurs, la décoration de sa chambre, ses jouets, la façon de parler et d'entrer en contact avec lui, les surnoms affectueux qu'on lui donne, ainsi que les attentes, les espoirs et les craintes à son égard.

Saviez-vous que...

On estime que de 70 à 80 % des futurs parents demandent à connaître d'avance le sexe de leur bébé. Ils le demandent davantage pour le premier enfant tandis que, pour le second, ils ont plus souvent envie de préserver l'élément de surprise.

Bien entendu, le bébé n'a aucune idée du fait d'être une fille ou un garçon, et c'est plutôt à son entourage que cela importe. L'enfant naît mâle ou femelle, selon son sexe biologique, mais ni masculin ni féminin, et encore moins homme ou femme. Plusieurs étapes de séparation, d'individuation et d'identification doivent se succéder pour qu'une conscience de soi en tant qu'individu sexué se développe. Il faut plusieurs années pour que l'enfant prenne réellement conscience de son appartenance sexuelle.

▶ Pourquoi mon bébé met-il tout dans sa bouche ?

Le fait de téter correspond à une réaction primaire (réflexe), à un mouvement que le bébé est en mesure de faire dès la 16e semaine de gestation. Les échographies nous révèlent qu'avant même de naître, le fœtus suçote souvent son pouce. Ce réflexe de succion est essentiel à la survie du bébé, car sans lui il ne parviendrait pas à se nourrir.

Si l'action de téter est intimement liée au besoin de s'alimenter et de soulager la faim, l'enfant ressent également du plaisir lors de la stimulation de la bouche, plaisir provoqué par la succion (succion non nutritive). C'est par ce mouvement de succion du pouce, de la sucette ou du bout de l'oreille de son toutou que le bébé s'occupe et se calme. Il s'agit d'un premier plaisir qu'il se procure lui-même, une satisfaction auto-érotique par laquelle il expérimente le plaisir. Environ 80 % des enfants de moins de 2 ans tètent un de leurs doigts, plus particulièrement après le sevrage du sein ou de la bouteille afin de retrouver cette sensation de plaisir.

Sucer son pouce, sa sucette ou un objet constitue l'expression la plus marquante du stade oral que traverse l'enfant de 0 à 15 mois, étape durant laquelle sa bouche est la principale zone érogène, source de sensations plaisantes. C'est aussi par cette zone que l'enfant explore le monde. Durant cette phase orale, le bébé porte à sa bouche les objets nouveaux pour « faire connaissance » avec le monde qui l'entoure. Par sa bouche, il découvre les objets (son hochet, son toutou), son corps (son poing, ses orteils) et celui de ses parents (le nez de maman, le menton de papa).

Saviez-vous que...

Ce n'est que vers 3 ans que l'enfant est en mesure de reconnaître la différence entre les sexes, ainsi que son appartenance à l'un d'eux. Il est alors capable de répondre correctement aux questions suivantes : Es-tu un garçon ou une fille ? Es-tu pareil à cette poupée-ci (garçon) ou à celle-là (fille) ? Vas-tu devenir un papa ou une maman ? Vers l'âge de 5 ou 6 ans, l'enfant acquiert l'idée de la constance de son identité de genre : « Je suis un garçon ou une fille pour toujours. »

▶ Nourrir bébé au sein ou à la bouteille ?

Le choix d'allaiter le bébé ou de le nourrir à la bouteille incombe à la mère bien que cela puisse se discuter entre les deux parents. Les bienfaits de l'allaitement maternel sont reconnus, tant pour la santé de la mère que pour celle du bébé. L'allaitement maternel constitue aussi un moment d'intimité et de plaisir partagé d'une rare qualité pour la mère et son bébé. Il n'en demeure pas moins que certaines femmes ne se sentent pas à l'aise avec l'allaitement, ne pouvant concevoir de vivre une partie de cette relation avec leur enfant par l'intermédiaire de leur corps et de leurs seins. Il arrive aussi qu'au cours de l'allaitement, des difficultés surviennent, qui ne peuvent pas toujours être surmontées. Dans de telles circonstances, le bébé profite davantage d'un biberon donné par une mère détendue, calme et à son aise, que du contact avec une mère tendue et ambivalente.

▶ L'allaitement maternel peut-il comporter des écueils ?

Oui, parfois, dans le cas de certains allaitements tardifs où le corps de la mère, plutôt que de procurer une alimentation et un contact affectueux ponctuel, devient presque une source de «surstimulation» pour l'enfant plus âgé. Vient un moment où l'enfant doit pouvoir s'éloigner du corps de sa mère qu'il ne peut pas manipuler seulement selon son bon plaisir.

▶ Devrais-je offrir une sucette à mon bébé ? Et que faire si, plus vieux, il ne cesse de la réclamer ?

Devrait-on, oui ou non, offrir une sucette au nouveau-né ? Les avis sont partagés, parfois vivement affirmés. En effet, il y a du pour et du contre, et il n'est parfois pas facile de trancher. Les craintes les plus fréquemment exprimées par les parents concernent les « dépendances » que bébé pourrait développer ou la crainte qu'il se retrouve avec une dentition déformée. Il est vrai que le pouce gêne la bonne implantation des dents, mais il est rare que l'enfant le suce en permanence. En revanche, la sucette doit être aspirée sans relâche pour tenir dans la bouche. De plus, elle est souvent souillée parce qu'elle traîne un peu partout et, surtout, elle est d'un recours un peu trop facile pour rendre les enfants sages : un petit pleur et hop, on bouche le trou avec la sucette ! Toutefois, que l'on soit pour ou contre l'usage d'une sucette, il faut convenir que certains bébés aiment téter et en ont besoin au-delà de la nécessité de s'alimenter ou de découvrir les objets.

Même si l'on connaît mal les bases physiologiques de l'effet calmant de la succion, il est évident, quand on les observe, que certains bébés arrivent ainsi à s'apaiser, par exemple lorsqu'ils doivent rester coincés dans le siège d'auto ou lorsque les parents ne sont pas disponibles !

Toutefois, certains enfants de plus de 2 ans continuent à sucer leur pouce ou réclament quotidiennement la sucette, ce qui préoccupe les parents. Ceux-ci deviennent

alors esclaves de la sucette afin de préserver la bonne humeur de leur petit, et cela devient un enjeu dans la relation parents-enfant. Certains enfants timides, émotifs et anxieux peuvent continuer à chercher, par la succion, à se calmer et à se débarrasser de tensions qui sont souvent liées au stress et à l'anxiété. À cet égard, il est important toutefois de faire la différence entre de courtes périodes de régression dues à une insécurité circonstancielle (l'arrivée d'un nouveau bébé, une séparation d'avec un parent, un grand changement dans la routine habituelle) et une anxiété plus soutenue.

Si on se sent «envahi» quotidiennement par la gestion de la sucette, il est bon de rechercher d'abord les causes d'anxiété dans la vie de l'enfant. En effet, le recours à la sucette n'est qu'un «comportement symptôme». Outre le fait d'agir directement sur l'élément stresseur, il convient aussi d'aider l'enfant à substituer à la sucette un objet transitionnel. Ainsi, tout en offrant un soutien réel à l'enfant, on limite la sucette à l'espace privé de la chambre et du lit. Il convient aussi de parler avec l'enfant, de le rassurer avec des mots et des images puisque sa capacité à se faire des images mentales va de pair avec la possibilité de réguler ses émotions de façon plus autonome.

▸ Pourquoi le doudou est-il si important pour mon enfant ?

Vers la fin de la première année et au cours de la seconde, l'enfant s'attache souvent à un objet précis qu'il choisit lui-même et qui devient très important pour lui. Le doudou est une couverture, une peluche ou parfois un bout de tissu qui est manipulé sensuellement, tété, frotté contre le nez ou encore caressé entre deux doigts. Il traîne partout et disparaît toujours au moment où il ne le faudrait pas ! L'enfant y tient par-dessus tout et cela peut durer des années. Le doudou peut aussi tout endurer : les caresses passionnées, les morsures agressives, les pleurs et le nez qui coule.

Cet objet s'imprègne des odeurs familières, un peu de l'odeur de maman, un peu de celle de papa, et pourquoi pas un peu de celle du chien. Lorsque l'enfant respire ces odeurs, celles-ci évoquent l'image de ses figures d'attachement ou encore des lieux où il se sent bien. Ces images le rassurent, le réconfortent et lui procurent le sentiment d'être « accompagné » et en sécurité. En somme, le doudou aide l'enfant à supporter les peines et la tristesse lorsque maman s'éloigne, à combler le vide et à transformer l'attente en occasion de détente, d'apaisement et de rêverie.

▶ **Pourquoi l'étape de l'apprentissage de la propreté est-elle un si grand défi pour le petit et ses parents ?**

Avec la maîtrise de la marche et le développement du langage, on observe chez l'enfant âgé de 15 mois à 2 ans et demi que la zone anale prend de l'importance, tant en ce qui concerne les sensations que les enjeux qui y sont associés. L'enfant devient plus autonome et commence à être physiologiquement apte à contrôler ses sphincters. Les parents peuvent anticiper une nouvelle période, celle de la fin des couches à changer, et le début des négociations avec un petit enfant qui fait l'apprentissage de la maîtrise de son corps (laisser aller ou se retenir, tout en faisant plaisir, à soi ou à papa-maman), de ses désirs et de ses émotions et, surtout, de sa relation avec ses parents.

Il s'agit d'une période intense et tumultueuse, au cours de laquelle l'enfant fait de nombreuses découvertes et conquêtes. Il devient évident qu'il doit apprendre à transiger avec les demandes de plus en plus précises de ses parents. À quoi consentira-t-il ? À quoi résistera-t-il ? Sur le plan physiologique, l'enfant éprouve dans son corps ce jeu de tension et de relâchement qui crée le plaisir. De plus, il se rend compte de l'effet que cela a sur son entourage. Quel parent ne s'est jamais exclamé : « Oh, le beau gros caca ! Oh, quel bébé en santé ! » Entre le parent et son enfant s'installe une dynamique dans laquelle l'enfant produit quelque chose qui vient de lui, qui est en quelque sorte offert au parent, qui le reçoit souvent comme un don, généralement plus agréable à recevoir lorsqu'il est offert au bon endroit !

On voit ici l'enjeu : donner au bon moment et au bon endroit (dans la toilette) et ainsi se soumettre au désir du parent ou, au contraire, s'y soustraire en se laissant aller n'importe où (dans sa culotte, de préférence quand on est tout habillé avec l'habit d'hiver sur le dos) ou se retenir en inquiétant maman (« Il n'est pas allé

sur le pot depuis deux jours ! »). La maîtrise des sphincters lui permet une certaine maîtrise sur ses parents : il
observe la triste tête de ces derniers quand il fait dans
sa couche et leur regard de fierté lorsqu'il va sur le pot.
L'enfant vit alors des sentiments de toute-puissance :
« C'est moi qui décide, je peux m'opposer ou me soumettre. » Il s'agit aussi d'une des premières occasions
où on lui demande de s'occuper de lui-même.

Lorsque l'enfant a suffisamment de maturité physiologique pour maîtriser ses sphincters, il peut donc
graduellement user de sa volonté pour laisser aller ou
se retenir. C'est alors sa maturité psychoaffective qui se
développe. La plupart du temps, l'enfant indique que
ce processus est bien enclenché en le signifiant lorsque
sa couche est salie, pour se faire changer, puis en l'in-
diquant lorsqu'il s'apprête à éliminer. Il démontre aussi
son intérêt pour le passage des autres aux toilettes, avec
le besoin de voir ce qu'on y laisse et de le faire disparaître en actionnant la chasse d'eau. Tous les enfants
sont intéressés par ce qu'ils laissent au fond de leur pot.
Ils font ainsi la différence entre le dedans et le dehors,
et cela les passionne.

Parfois, ils veulent aussi connaître et toucher ce qu'ils
viennent d'expulser. Certains enfants peuvent vivre avec
une certaine anxiété le fait que cette partie d'eux-mêmes
disparaît dans un tourbillon pour aller au fond d'un
trou. Ils voient aussi souvent les toilettes comme un trou
sans fond, dans lequel la moindre maladresse peut les
faire tomber avec un fracassant bruit de chasse d'eau.

▶ Jusqu'à quel âge peut-on dormir avec son enfant? Et que faire pour le sortir du lit des parents s'il en a pris l'habitude?

Plusieurs contextes fort différents les uns des autres peuvent amener un enfant à dormir avec ses parents. Il y a l'enfant qui vient dormir dans le lit de ses parents pour se rassurer parce qu'il tonne ou à la suite d'un cauchemar, il y a les moments où les parents accueillent les enfants dans leur lit au petit matin, il y a les petits qui s'endorment un soir dans le lit parental avant d'être ramenés dans leur propre lit, et il y a les situations plus complexes où l'enfant « prend sa place » dans le lit des adultes. C'est parfois le cas des enfants qui dorment avec un parent lorsque l'autre parent travaille ou encore quand ceux-ci sont séparés. C'est le cas également des enfants anxieux qui résistent au moment de solitude précédant l'endormissement et qui veulent à tout prix l'éviter en se collant sur quelqu'un.

Lorsqu'un tel comportement survient, il importe pour le parent de savoir ce qui l'empêche, parfois inconsciemment, de replacer l'enfant dans son propre petit lit, avec chaleur, mais fermeté. En effet, si les enfants craignent parfois la solitude, les parents aussi peuvent la redouter et chercher la présence réconfortante de leur enfant. Ou encore, peut-être est-il difficile pour les parents de se retrouver l'un près de l'autre au lit. Certainement, il faut se rappeler que l'enfant (fils ou fille) n'est pas un mari ou une épouse, et qu'il n'a pas à prendre l'habitude de dormir dans le lit parental lorsque le père ou la mère est absent ou parti. Il ne peut ni ne doit le remplacer. De plus, l'enfant n'est pas un adulte et n'a pas à rassurer un parent anxieux ou esseulé. Lorsque c'est le cas, la barrière intergénérationnelle est défaillante et cela angoisse les enfants. De plus, quand une telle situation persiste, elle peut éveiller chez l'enfant des pulsions sexuelles précoces. Les parents, eux-mêmes souvent aux prises avec des situations affectivement pénibles et ignorant l'impact de ces conduites sur l'enfant, trouvent difficilement comment s'en sortir. En effet, une fois qu'un enfant a pris sa place dans le grand lit, il n'en sortira pas sans protester !

Afin de corriger cette situation, il faut d'abord être prêt soi-même, comme parent, à identifier les gratifications secondaires que cette proximité avec l'enfant apporte et à y renoncer. Pour y arriver, cela prend parfois un petit coup de pouce de la part d'une personne à qui l'on peut se confier. Vient ensuite le temps d'expliquer à l'enfant pourquoi il doit dormir seul : il est grand, maman veut dormir seule ou maman et papa veulent dormir ensemble. Il faut le rassurer en lui expliquant que papa et maman sont dans la maison, à proximité, qu'ils veillent sur lui et qu'ils écoutent ses peurs, celles du noir et des monstres.

Des compromis rassurants doivent être faits (une veilleuse, un toutou magique anti-monstre, une porte entrouverte). Une routine autour du moment de se coucher doit être établie et respectée : brossage des dents, histoire, bisou et dodo. Cette routine lui permettra d'anticiper la prochaine étape sans être pris par surprise. Enfin, il importe de créer des moments doux avant et après le dodo pour que celui-ci devienne un temps privilégié : avant de se coucher, on peut lui raconter une histoire pendant qu'il est collé au chaud près de maman ou de papa et, au réveil, ce sont des retrouvailles dans le lit parental, alors que tout le monde a bien dormi.

Saviez-vous que...

Il y a des mots plus drôles que d'autres ! Le jeune enfant utilise avec fébrilité et un grand plaisir des mots comme « pipi, caca, fesses, pet ». L'enfant s'affirme ainsi en utilisant des gros mots, des mots de grands. Il les prononce pour le plaisir et pour tester la réaction des adultes qui l'entourent. Plus vous accorderez d'importance à ces mots et plus l'enfant les répétera. L'enfant finit par se lasser de ce jeu, surtout si vous y portez moins d'attention et ne semblez pas mordre à l'hameçon. Si vous ne pouvez vous empêcher d'intervenir, expliquez-lui qu'on ne dit pas de tels mots en public et qu'on les relègue dans la chambre ou encore mieux dans la salle de bain, d'où ils proviennent !

▶ Pourquoi la fillette fait-elle la princesse auprès de papa et le garçon, le petit homme auprès de maman ?

Entre 3 et 5 ans, on voit apparaître chez l'enfant un désir de se rapprocher du parent du sexe opposé et une certaine rivalité avec l'autre parent. C'est au cours de cette période œdipienne qu'il affirme son propre sexe, que son identité sexuelle se consolide et que s'organisent les prémisses de ce que pourra être sa trajectoire amoureuse lorsqu'il sera adulte. Malgré son jeune âge, l'enfant découvre au cours de cette période les deux principes qui sont le fondement d'une représentation structurée de lui-même dans son rapport aux autres : une représentation claire de la distinction entre les sexes (garçon et fille) et entre les générations (adulte et enfant). Le garçon avec sa mère, la fille avec son père, l'enfant noue une relation basée sur cette complémentarité, dans un désir d'exclusivité et en recherchant la reconnaissance. Il s'agit d'une période remplie d'illusions savoureuses et ponctuée de désillusions amères, mais ultimement constructives pour l'enfant. En effet, il y trouve la possibilité de mieux se définir comme garçon ou fille. Il y apprend aussi, par le refus des parents d'autoriser que les fantasmes de l'enfant deviennent réels, que certains tabous existent (tabou de l'inceste) et ne peuvent être transgressés.

Le garçon, sa maman et...
son papa

Le bébé garçon crée son premier lien d'attachement et de proximité avec le corps de sa mère. C'est aussi avec elle que la relation œdipienne se joue au cours de la troisième année. Ainsi on peut dire que la relation œdipienne se joue souvent assez précocement entre maman et garçon. Bébé garçon dans les bras et les yeux de maman : le petit homme ! Il faut reconnaître combien le fait d'avoir un garçon et d'en être proche est souvent lié à un sentiment de fierté pour la mère qui contemple son « petit bout d'homme ».

Vers l'âge de 3 ans, le garçon exprime clairement son désir d'être près de sa mère, en exclusivité. Il est affectueux, il recherche et apprécie les manifestations d'affection de sa mère, s'en enorgueillit, tant secrètement que devant son père qu'il a l'impression de dominer alors pendant un instant. C'est le moment de ces déclarations naïves, mais tellement touchantes et authentiques : « Quand je serai grand, je vais me marier avec toi. » Le petit garçon a besoin de se sentir accueilli dans ce mouvement par lequel il se construit comme petit homme. Maman lui communique sa tendresse et son affection et papa autorise cette complicité. Mais tout est question de dosage et papa doit aussi demeurer le plus grand et le plus fort, celui qui a accès intimement à maman parce qu'elle est sa femme. Et le garçon aura besoin de son père pour pouvoir enfin, après toutes ces années d'attachement à son premier objet d'amour, s'émanciper en se distanciant de sa mère.

La fillette, sa maman, son papa et... sa maman

Le bébé fille établit aussi son premier contact intime avec le corps de sa mère. Toutefois, c'est avec son père que l'Œdipe se jouera. Contrairement au garçon, qui reste «attaché» à sa mère de la naissance à la fin de l'Œdipe, la fille opère donc plus précocement un détachement d'avec sa mère pour porter son élan «amoureux» vers son père. Mais se détacher si vite de maman n'est pas toujours aisé, ni pour la mère, ni pour la fillette. Il s'agit là d'une importante distinction à faire entre fille et garçon.

Une autre distinction dans la relation mère-fille est conséquente au fait qu'elles sont de même sexe. Le bébé fille est comme un miroir dans lequel la mère peut se voir, parfois sans même le vouloir. Souvent, quand une femme regarde sa petite fille, c'est en partie elle-même qu'elle voit. Et pendant la période œdipienne, lorsque la fillette affronte maman pour se tailler une place dans le cœur de son père, cela vient parfois un peu brouiller les cartes.

Vers l'âge de 3 ans, la petite fille recherche donc l'amour et l'attention spéciale de son père. Elle se détourne et se détache de sa mère, dont elle peut aussi se concevoir bien différente. C'est d'ailleurs en pouvant définir en quoi elle est différente d'elle qu'elle pourra, à la sortie de l'Œdipe, au moment où elle prend le parti de s'identifier à elle, le faire sur des bases qui lui permettront d'être une fille comme maman, mais avec sa personnalité bien à elle. La fillette, comme le garçon, a besoin de se sentir accueillie par son père, regardée avec une affection admirative, et maman peut aussi jouer le jeu de ne pas lui faire ombrage inutilement. Mais il importe de remettre les pendules à l'heure afin de mettre sa fillette à l'abri de ses désirs éventuellement un peu angoissants. La fillette doit comprendre que papa l'aime beaucoup mais qu'il ne sera jamais son amoureux.

▶ Quel impact peut avoir la séparation des parents sur la période œdipienne?

La séparation des parents, lorsque de jeunes enfants sont impliqués, peut parfois receler des écueils. Lorsque cette séparation a lieu au cœur de la période œdipienne et qu'un père quitte non seulement sa conjointe mais également sa fillette (ou vice-versa, une mère laissant le père et son garçon), c'est une vraie peine d'amour qui peut être ressentie par l'enfant. En effet, il perd le parent dont il cherche le regard admiratif et la relation complémentaire. C'est alors lui-même, en tant que «petit homme» ou «petite femme» en formation, qu'il peut remettre en question. Il est important de clarifier avec lui que ce sont bien deux grandes personnes qui se quittent et de tenter de préserver une intimité entre maman-garçon et papa-fillette.

Saviez-vous que...

Les comptines et jeux par lesquels on identifie les parties du corps (menton fourchu, bec d'argent, nez cancan) permettent à l'enfant d'élargir son vocabulaire et d'élaborer son schéma corporel, c'est-à-dire la représentation qu'il se fait de son corps. Dans le même ordre d'idée, l'utilisation des termes exacts pour désigner les parties du corps, incluant les organes génitaux, contribue à mettre l'enfant à l'aise avec son corps.

Par ailleurs, les séparations ont parfois comme conséquence que la place du père, ou celle de la mère, est laissée inoccupée. Il manque un joueur à l'Œdipe et l'enfant se retrouve avec un trop grand espace qu'il n'a pas à prendre. C'est au parent qu'il revient, en l'absence d'un amoureux ou d'une amoureuse, de signifier à l'enfant l'interdit d'un rapprochement trop intime. Et même si le parent reste seul et n'a pas de relation amoureuse, l'amoureux demeure potentiel et reste présent à son esprit et donc à celui de l'enfant.

De plus, il faut rappeler l'importance que les parents séparés évitent de dénigrer l'autre parent aux yeux de leur enfant. L'enfant a besoin du parent du sexe opposé au sien comme rival dans l'Œdipe et comme figure d'identification afin de sortir de cette étape de développement. Ce processus d'identification peut devenir très perturbé lorsque maman (ou papa) renvoie une image dévalorisée de son «ex». Comment une fillette peut-elle assumer, dans ce contexte, être une femme comme maman ou comment un garçon peut-il être un homme comme papa?

▸ Pourquoi est-ce «les gars avec les gars, les filles avec les filles» chez les 6-12 ans?

Entre 5 et 12 ans, les enfants se regroupent avec leurs semblables: les gars avec les gars, les filles avec les filles. Ainsi regroupés, ils se reconnaissent, s'identifient les uns aux autres et se mettent à l'abri des jeux de séduction. Dans leurs contacts avec l'autre sexe, certains en viennent à faire preuve d'un certain chauvinisme: les gars sont meilleurs que les filles, ou vice-versa. Il s'agit de prouver aux autres et à soi-même qu'on est un «vrai» gars ou une «vraie» fille.

Les contacts avec le sexe opposé peuvent être des sujets de moquerie au sein du groupe de pairs. Est-ce à dire que les enfants se désintéressent alors totalement de l'autre sexe? En fait non, mais cet intérêt s'exprime temporairement d'une façon contraire, sous la forme d'un certain antagonisme, les filles critiquant les garçons et les garçons faisant de même avec les filles. Leur perception de ce qu'est un homme et ce qu'est une femme est souvent assez stéréotypée et peu nuancée. Ceci est lié à leur besoin de repères clairs et vise à minimiser les ambiguïtés possibles entre masculin ou féminin.

Au cours de cette période, les enfants ont besoin d'admirer des héros, des modèles, souvent du même sexe que le leur. Ces modèles contribuent à compenser le sentiment d'impuissance que l'enfant ressent devant le monde des adultes. Plus jeune, l'enfant choisissait ses héros dans la famille; papa ou maman, le grand frère ou la grande sœur. Maintenant, il se tourne vers ses compagnons et cherche celui ou celle que tout le monde aime, admire ou qui fait ce que les autres n'osent pas faire.

C'est dans ce registre un peu admiratif que se situe aussi l'attachement privilégié avec le meilleur ami ou la meilleure amie. Il s'agit d'une relation privilégiée, empreinte de complicité et de tendresse. Qu'on pense à cette intense camaraderie qui unit deux ou trois amis qui se préparent à jouer un tour ou à partager une activité, ou encore aux retrouvailles souvent plus expressives des filles, qui s'enlacent affectueusement le matin dans la cour de récréation... Bien sûr, ces relations privilégiées sont changeantes, les alliances se font et se défont. Toutefois, certaines durent longtemps et sont vécues sous le signe de la fidélité.

Saviez-vous que...

L'enfant d'âge primaire manifeste très souvent une grande gêne à l'égard de la sexualité, allant même jusqu'à qualifier de «dégoûtant» ce qui s'y rapporte. Ceci ne veut pas dire qu'il s'en désintéresse, mais plutôt qu'il tourne en dérision ce qui le gêne. Cela lui permet de parler de ce sujet sans en parler vraiment et en «camouflant» sa curiosité.

▶ Mon enfant a un amoureux… Qu'en penser et que lui dire?

De nombreux parents sont très surpris de découvrir ou d'apprendre que leur enfant est amoureux. Nous sommes en plein dans la période où les enfants se passent timidement et discrètement des mots doux en classe ou ont recours à un copain comme messager. On assiste alors à la formation de couples qui durent peu de temps et qui sont basés sur une attirance ayant peu à voir avec celle qu'on retrouve chez les couples adolescents ou adultes; il s'agit toutefois d'une sorte de préparation à ce qui se passera plus tard. Les parents craignent parfois de voir leur enfant « s'investir » si jeune dans une relation « amoureuse »; ils ont peur que leur petit ait de la peine ou encore qu'il s'adonne à des jeux sexuels.

Encore faut-il savoir ce que cela signifie pour l'enfant que d'avoir un « amoureux » ou une « amoureuse »! Pourquoi ne pas lui demander ce qu'il aime chez l'autre, ce qu'ils font lorsqu'ils sont ensemble? En général, ces couples enfantins ont surtout pour but de partager des activités communes, de rire et de jouer; mais ils peuvent aussi être motivés par le besoin d'attention ou la peur d'être seul. Cette découverte du sentiment amoureux est aussi pour les parents une occasion en or de parler à son enfant de l'amour, du respect et de ce qu'il peut trouver dans une relation privilégiée avec l'autre. Et bien qu'ils puissent nous paraître naïfs, les sentiments amoureux des enfants sont sincères. Les déceptions et les peines d'amours, même chez les plus petits, sont souvent vécues avec une intensité qu'il ne faut pas sous-estimer.

Comment réagir si votre enfant est « amoureux » ? Pour commencer, il faut se compter chanceux qu'il vous en parle, car il s'agit de précieuses confidences. Il faut donc l'écouter sans diminuer ou amplifier la situation. Surtout ne pas en rire, le ridiculiser ou le taquiner en public. S'il ne veut pas en parler, le respecter mais demeurer attentif aux signes de malaise ou de tristesse.

▶ Pourquoi mon préado est-il si soucieux de son image ?

Le corps des préadolescents se transforme, mais toutes les parties ne grandissent pas simultanément, ce qui peut donner temporairement une impression de déséquilibre physique. Parfois, le jeune se questionne sur la normalité de la forme de son corps, y compris de ses parties sexuelles. Inévitablement, il compare son corps à celui des amis dont le rythme de développement est différent. Tout est sujet à comparaison, nez, taille, poids et même le pénis ou les seins.

De plus, l'angoisse ressentie devant l'étrangeté de son nouveau corps rend le jeune extrêmement sensible aux remarques d'autrui. Pour un préado et un ado, le corps est surtout vu par les autres. Si les filles éprouvent une certaine fierté à voir leurs seins se développer, le fait d'être plus visiblement sexuée peut les amener à éprouver gêne et honte, surtout quand elles doivent subir des commentaires de leur entourage. Elles n'ont pas besoin qu'on s'exclame avec un sourire en coin : « Ça pousse, ça pousse ! » Quant aux garçons, ils commencent à muer et ils émettent souvent des sons discordants qu'ils préféreraient qu'on n'entende pas.

Ces enjeux de transformation sont délicats puisque l'image que les jeunes ont de leur corps est sujette à être déformée par ce qu'ils croient voir dans le regard des autres et par ce qu'ils croient être socialement acceptable et désirable. À cet égard, la publicité a sur eux un impact considérable. Ils perçoivent donc leur corps au travers d'un écran composé de peurs, de complexes et d'espoir.

Les préadolescents se posent de nombreuses questions. Comment être bien dans un corps qui se transforme ? Comment apprendre à s'aimer soi-même ? Comment aller vers l'autre ? Pour être bien dans ce corps qui se transforme, il faut que le jeune comprenne ce qui lui arrive. Qu'il sache qu'il s'agit d'une période de grand changement tant au plan physique que psychologique, que cela se produit sur un certain laps de temps et que chaque individu a son propre rythme. Il est important de l'amener à reconnaître chez lui des parties corporelles qu'il trouve belles et qui lui conviennent comme elles sont, de souligner de plus la valeur de sa personnalité, ce qui compte tant pour établir une relation avec l'autre.

Pudeur, intimité

▶ Quand la pudeur apparaît-elle chez l'enfant?

Dès l'âge de 5-6 ans, puis au cours de la période de latence (environ vers 6 à 8 ans), l'enfant manifeste de plus en plus un besoin d'intimité au sein de la famille. Il ressent de l'embarras lorsqu'il est question de sexualité et son rapport à la nudité a changé. L'enfant ferme les portes de la salle de bain et de la chambre à coucher, il se cache pour se changer, etc.

Pour certains, les témoignages d'affection deviennent aussi gênants : désormais, les sentiments et la tendresse exprimés verbalement suffisent pour prouver aux parents qu'on les aime. Pas besoin de se toucher et, surtout, pas de becs de maman devant les amis! C'est aussi l'âge où le fait d'embrasser sur la bouche, geste usuel dans certaines familles, change de signification et devient un geste au potentiel plus sexualisé que l'on devrait éviter.

Il est important de respecter cette pudeur, de ne pas s'en moquer, en rire ou la faire remarquer en public, puisqu'on exposerait ainsi l'enfant au regard des autres alors qu'il cherche justement à s'isoler et à être respecté dans son intimité. N'est-il pas en train de construire peu à peu son propre territoire?

Sur le plan des sentiments, l'intimité se développe également; des pensées secrètes se retrouvent dans le journal intime, on échange des billets privés entre amis. Les enfants acquièrent progressivement une pensée autonome; ils gardent une partie de leurs pensées secrètes et en confient une partie à des proches. Ce faisant, ils s'affirment comme des êtres distincts.

Saviez-vous que...

Très tôt, l'enfant a besoin d'intimité. L'apprentissage de la pudeur se fait dans les gestes de la vie quotidienne, par l'intermédiaire des routines entourant le bain, les soins corporels, le coucher, ainsi que dans les contacts affectueux et dans le respect de lieux réels (un petit coin à lui) ou symboliques (des moments pour penser) auxquels l'enfant a accès. Par cet apprentissage, l'enfant délimite son espace et, par le fait même, se définit dans son rapport aux autres. C'est ainsi qu'en faisant preuve de respect pour le besoin d'intimité de son enfant, le parent contribue à le rendre apte à faire respecter ce besoin par les autres au cours de sa vie.

▶ Quand devrait-on cesser de prendre son bain avec son enfant?

Il est assez fréquent que l'on prenne le bain à plusieurs, un parent avec son ou ses enfants, ou encore frères et sœurs ensemble. Cette pratique, économique en temps et en énergie, et surtout souvent amusante et agréable, finit éventuellement par cesser. En effet, il serait plutôt étonnant de voir un grand adolescent partager son bain avec un de ses parents ou avec sa sœur ou son frère. La plupart du temps, on cesse cette activité commune sans avoir à y penser. Le parent ne l'offre plus, l'enfant ne le demande plus.

Les parents doivent donc s'adapter à l'évolution de l'enfant. Avec le bébé ou le très jeune enfant, plus occupé à jouer avec la mousse et les jouets de bain, l'attention est rarement centrée sur la nudité de l'autre. Si c'est le cas, cela est souvent momentané, le temps pour l'enfant de vouloir toucher aux parties sexuelles de l'autre, par exemple aux seins de maman. C'est alors une bonne occasion de sonder l'enfant pour savoir ce que sont ses interrogations, et surtout d'affirmer calmement qu'il ne s'agit pas d'un jouet, mais d'une partie du corps de maman à laquelle on ne touche pas comme ça. Dans la période de latence, le bain « communautaire » devient moins pertinent, surtout en ce qui a trait au bain papa-fillette, maman-garçon, ou frère-sœur. De toute façon, certains soins corporels prodigués par des adultes doivent cesser lorsque l'enfant est suffisamment autonome pour les faire lui-même. Les poursuivre peut susciter beaucoup d'inconfort chez les enfants.

Dans tous les cas, et quel que soit l'âge de l'enfant, il est préférable d'être attentif à son besoin d'intimité et à ses sentiments de pudeur qu'il n'exprime pas nécessairement par des mots, mais plus souvent par de petits changements d'attitude que le parent doit détecter. Lorsque le fait d'être nu devant les autres ou de voir l'autre nu devient dérangeant ou surexcitant, mieux vaut instaurer des limites et laisser son espace à chacun.

Saviez-vous que...

Lorsque l'enfant pose des questions au sujet de la sexualité, on a avantage à le faire parler un peu avant de lui répondre : « Qu'en penses-tu, toi ? », « Pourquoi te demandes-tu cela ? » En l'amenant à élaborer un peu plus sa pensée, on est en mesure d'évaluer son niveau de connaissance et d'adapter l'information à ce qu'il sait déjà et à ce qu'il veut savoir. Par exemple, un enfant de 4 ans peut désirer comprendre comment sont conçus les bébés : il est prêt à entendre parler de la rencontre entre une petite graine du papa et l'œuf qui est dans le ventre de la maman, mais il ne veut pas savoir de quelle façon elle s'y rend et n'a pas besoin non plus de le savoir.

▶ Mon enfant aime être nu, dois-je le laisser faire ?

Vers l'âge de 3 ans, l'enfant n'est plus indifférent au fait d'être nu ou de voir une autre personne nue. Il y prend même plaisir. Il trouve amusant de se montrer, d'être vu, et de se voir beau «au complet» dans les yeux de ses parents. Il aime courir tout nu dans la maison en sortant du bain, il peut même se laisser aller à attirer l'attention de son entourage sur ses parties intimes (regarde mes fesses, mon pénis) et le plus souvent avec une évidente fébrilité. Il y a des contextes où cela est approprié ou du moins sans conséquence ; par exemple, lorsque cela est fait par un jeune enfant et que le comportement se manifeste dans l'intimité de la famille proche. Parfois, cela l'est moins, ce qui génère un malaise. Il convient alors d'intervenir et de demander à l'enfant qu'il s'habille parce que son comportement gêne les autres.

▶ Peut-on se montrer nu devant son enfant ?

L'attitude des parents et des enfants envers la nudité varie grandement d'une famille à l'autre, selon la culture, les valeurs familiales et l'éducation des parents. Toutefois, on s'entend pour dire qu'il ne doit y avoir aucune ambiguïté, c'est-à-dire que le comportement de l'adulte doit être dépourvu de toute connotation sexuelle. Mais si la situation paraît claire aux yeux de l'adulte, ce n'est pas toujours le cas pour les petits. En effet, dès l'âge de 2 ans, les rapprochements corporels peuvent être excitants pour l'enfant même si l'adulte pense avoir des attitudes non sexualisées. Il est donc important d'ériger certaines frontières entre son corps et le vôtre, frontières qui nous permettent d'éviter les contacts ambigus du point de vue du parent, mais surtout du point de vue de l'enfant.

Les caresses, bisous et câlins doivent évidemment garder leur place, avec un enrobage qui marque bien qu'il s'agit tout simplement d'un contact affectueux. Puis, lorsque l'enfant devient plus pudique, entre les âges de 5 et 12 ans, et qu'il est embarrassé par la nudité, la sienne ou celle des autres, on tente de déceler cette gêne, de la comprendre et de la respecter afin d'adapter sa conduite en protégeant la sensibilité que l'enfant exprime.

▶ Comment réagir si l'enfant surprend ses parents à faire l'amour ?

Certains parents craignent que leur enfant les surprenne à faire l'amour et qu'il en demeure traumatisé. Évidemment, on tente d'éviter que cela se produise, mais le cas échéant, il faut éviter la panique et le climat de catastrophe. Gardez votre calme, évitez de renvoyer l'enfant rapidement, dans un climat d'anxiété, comme s'il avait commis un « crime ». Si vous sentez votre enfant inquiet, rassurez-le et répondez aux questions qu'il vous pose. Il a pu entendre des bruits et des sons qui suscitent sa curiosité ou qui l'effraient.

Les enfants peuvent percevoir l'acte sexuel comme un acte d'agression entre les parents. Il est important de préciser que personne ne se faisait mal, qu'il s'agissait de câlins et de caresses que seules les grandes personnes se font quand elles s'aiment beaucoup, que ces caresses sont agréables à donner et à recevoir, mais qu'il s'agit d'un moment intime entre les parents. C'est pourquoi, lorsque la porte de la chambre est fermée, il faut frapper et attendre avant d'entrer.

Homosexualité

▶ Devrais-je parler avec mon enfant de l'homosexualité ?

Les enfants d'âge scolaire ont généralement eu l'occasion d'entendre parler d'homosexualité. Si ce n'est pas à la maison, ce sera dans la cour de récréation ou à la télévision. Que ce soit par le biais d'expressions entendues, souvent désobligeantes (tapette, pédé, fifi), ou par les images transmises par les médias, qui sont souvent stéréotypées et ne reflètent pas toujours la réalité, les enfants se retrouvent avec une information qui laisse à désirer. En abordant ce thème avec eux, on doit leur parler de tolérance, d'acceptation et de respect des différences. On peut ainsi lutter contre les préjugés.

À la question « Ça veut dire quoi être *gay* », on peut répondre à l'enfant qu'il arrive que deux personnes de même sexe s'aiment beaucoup et forment un couple. Comme tous les amoureux qui s'aiment, ils se font des câlins et peuvent choisir de vivre leur vie ensemble.

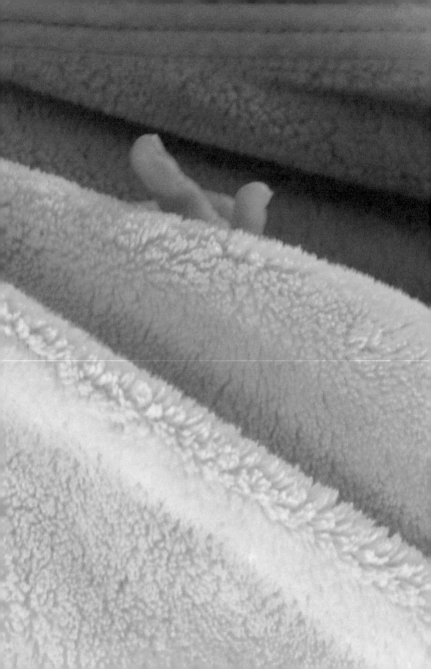

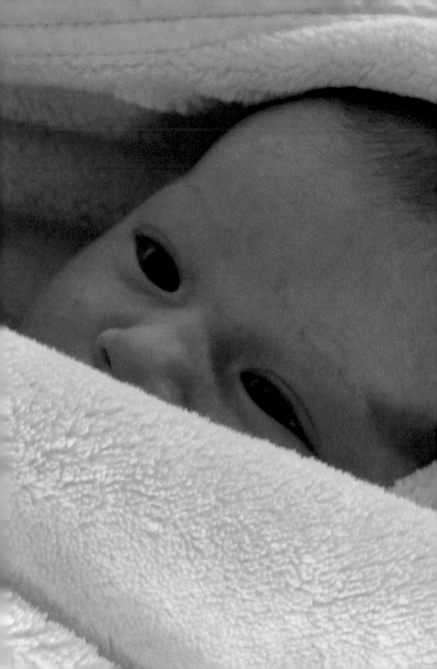

▸ Est-ce possible que mon enfant soit ou devienne homosexuel?

Au fil de leur croissance, garçons et filles vivent des liens privilégiés et fondamentaux avec des pairs du même sexe, et ce dès le plus jeune âge, puis à la période de latence et enfin à l'adolescence. Ces liens jouent un rôle essentiel dans le développement de l'identité sexuée et, faut-il le souligner, ils ne présagent pas d'une future orientation homosexuelle. On pense au rapport intime garçon-papa et fillette-maman dans la phase d'identification qui est au cœur de l'Œdipe, à la connivence entre garçons ou entre filles à la période de latence, sans oublier le lien privilégié à l'adolescence avec le meilleur ami ou avec la meilleure amie.

Toutefois, certains enfants, à la préadolescence et plus tard à l'adolescence, vivent une période de questionnement quant à leur orientation sexuelle. Ils peuvent avoir, de façon temporaire, des relations ou des expériences bisexuelles ou homosexuelles. Qu'un jeune de 9 à 12 ans ait des fantasmes ou ressente une attirance envers une personne du même sexe n'est pas en soi l'indication définitive de son orientation sexuelle. Un enfant, garçon ou fille, peut aussi se laisser entraîner par ses compagnons dans une activité homosexuelle ou avoir besoin de se comparer à un autre du même sexe afin de vérifier s'il est normalement constitué. Il s'agit pour lui d'expérimenter une situation qui n'est pas usuelle, d'apaiser certaines angoisses ou de trouver des réponses aux questions qu'il se pose sans que cela réponde à une orientation et des désirs homosexuels. Bien que ces expériences homosexuelles puissent être des formes d'exploration, elles risquent parfois d'être bien mal assumées par le jeune. Chez certains, elles génèrent beaucoup de culpabilité et de crainte puisqu'elles ouvrent la voie à des questionnements relatifs à l'identité sexuelle.

L'identité homosexuelle

Quand on parle d'homosexualité structurelle, on fait référence à quelqu'un qui, dès l'enfance, est attiré par les autres enfants du même sexe sans pour autant rejeter son sexe biologique. Cette tendance vient naturellement et l'enfant ne peut l'empêcher. Elle s'impose malgré toute volonté contraire. Les principales études sur l'homosexualité établissent le pourcentage des personnes homosexuelles à environ 10 % de la population.

La question de l'orientation sexuelle, qui prend racine dans l'enfance, est au cœur de l'identité. Des adolescents homosexuels disent s'être sentis différents des autres garçons dès l'âge de 5 ou 6 ans, sans toutefois faire de lien à ce moment-là entre ce sentiment et la sexualité. Des adultes homosexuels se souviennent quant à eux que leurs premières attirances homosexuelles ont eu lieu vers l'âge de 8 ou 9 ans. On estime que c'est en moyenne autour de l'âge de 13 ans que les personnes homosexuelles établissent le lien entre le sentiment d'être différent des autres et leur orientation sexuelle qui s'exprime par une attirance pour une personne de même sexe.

Vers l'âge de 8 ou 9 ans, avant même qu'il soit question d'orientation sexuelle, certains enfants se sentent différents de leurs compagnons du fait qu'ils ont, en tant que garçons, des champs d'intérêt féminins ou, en tant que filles, des champs d'intérêt masculins. Ces différences sont plus ou moins marquées et les attitudes garçonnes ou efféminées sont plus ou moins visibles. Cela affecte l'intégration sociale de certains enfants avant même la préadolescence. Soulignons à cet égard qu'il est probablement plus difficile pour les garçons ayant une identité féminine de se voir acceptés et intégrés à leur groupe que pour les filles « garçons manqués ». Ces dernières sont souvent perçues plus favorablement, donnant l'impression qu'elles sont de « petites ambitieuses » qui rivalisent avec les garçons. À cause des préjugés plus marqués à l'égard de l'homosexualité masculine, les petits garçons aux allures efféminées sont rapidement identifiés et affublés de quolibets dévalorisants (tapette, homo, fifi).

À la préadolescence, quand l'attirance érotisée devient plus consciente et peuple l'univers fantasmatique, la trajectoire des désirs amoureux devient plus claire et souvent angoissante.

Comment réagir comme parent devant l'homosexualité de mon enfant ?

La plupart des parents réagissent lorsqu'ils constatent que leur enfant a des « tendances » homosexuelles. Certains parents ne voient pas là un problème grave. Toutefois, de nombreux autres sont submergés par des émotions négatives ou du moins par une grande confusion faite de colère, de honte, d'angoisse et d'incertitudes quant à la façon d'intervenir.

Ceux pour qui l'homosexualité est taboue peuvent parfois réagir de façon inappropriée, ce qui perturbe grandement leur relation à l'enfant. L'homosexualité de ce dernier est vécue avec culpabilité et honte par ses parents qui la considèrent comme le signe d'un échec personnel. Certains pères, en particulier, réagissent très négativement et se sentent menacés dans leur virilité. Il s'agit là de situations très conflictuelles qui risquent d'engendrer une douloureuse rupture de lien. Les jeunes, qui redoutent particulièrement ce rejet de la part des personnes qu'ils aiment, tendent donc à garder secrète une part de leur personnalité.

La découverte de l'homosexualité et son rejet par le jeune lui-même ou par son entourage, parents et compagnons, peuvent induire une grande détresse allant jusqu'à des comportements suicidaires. Une étude canadienne de Bagley et Tremblay a révélé un taux de tentatives de suicide jusqu'à 13 fois plus élevé chez les jeunes homosexuels que chez les jeunes hétérosexuels.

Les parents et l'entourage ne doivent donc pas considérer l'enfant sous le seul angle de sa sexualité. Il faut plutôt percevoir l'enfant de façon globale, en tenant compte de ses caractéristiques personnelles. Toutefois, si, dans sa façon de faire et d'être avec ses parents, le jeune utilise une part de sa sexualité pour provoquer, manipuler et déranger, et ce dans le but de communiquer un malaise ou une colère, les parents doivent alors placer des limites en demandant d'être respectés tout en cherchant à laisser la porte ouverte au dialogue dans le respect de chacun.

Santé et développement physique

▶ **Ma petite fille a des rougeurs à la vulve. Pourquoi et que puis-je faire pour prévenir cela ?**

On appelle « vulvite » ces rougeurs ou démangeaisons à la région vulvaire, sans écoulement. Les causes de telles rougeurs sont d'origines naturelles ou provoquées par certains agents irritants. La cause est rarement une infection ou une maladie de la peau. Parmi les causes naturelles, on remarque parfois, chez la jeune enfant, que les grandes lèvres deviennent trop petites pour recouvrir totalement la muqueuse vaginale et protéger le vagin. De plus, après l'âge de 2 ou 3 ans, les hormones transmises par la mère lors de la grossesse (œstrogènes) diminuent, ce qui amincit les muqueuses des organes génitaux des petites filles et les rend plus facilement sujettes aux irritations. Enfin, comme l'anus est situé tout près de la vulve, cela peut causer des irritations et parfois même des infections si l'enfant ne s'essuie pas correctement après être allée à la selle.

Ces rougeurs peuvent aussi être causées par des agents irritants, comme les savons parfumés, les assouplisseurs de tissus, les détergents à lessive, la mousse pour le bain, la poudre de bébé et le shampoing. Quelquefois, la vulve est irritée par des sous-vêtements trop serrés ou faits d'un autre tissu que le coton, ou par un maillot de bain, une couche ou un sous-vêtement resté trop longtemps humide ou souillé.

En respectant les mesures suivantes, la majorité des rougeurs devraient disparaître :

- au besoin, donner un bain (15 minutes environ) pour soulager l'enfant (avec de l'eau seulement) ;
- chaque jour, favoriser le bain plutôt que la douche (cela permet de ramollir et de décoller les sécrétions naturelles du vagin) ;
- utiliser du savon non parfumé pour laver la fillette, sans l'appliquer à l'intérieur de la vulve ;
- laver les cheveux après le bain (éviter de laisser l'enfant tremper dans l'eau savonneuse) ;
- vérifier que la fillette s'essuie correctement lorsqu'elle va à la selle. Elle doit s'essuyer complètement de l'avant vers l'arrière, sans revenir avec le même papier ;
- laver les sous-vêtements avec du savon doux et les rincer à plusieurs reprises pour éliminer les détergents ;
- utiliser des sous-vêtements amples, de teinte pâle et en coton ;
- maintenir la vulve de la fillette au sec. Éponger avec une serviette, sans frotter la peau ;
- enfin, au besoin, appliquer sur les régions irritées une crème à base de zinc.

Si les symptômes persistent, n'hésitez pas à consulter votre médecin.

▸ Ma petite fille a des pertes vaginales. Que faire ?

Avant la puberté, les pertes vaginales (écoulements) signifient parfois la présence d'une infection, particulièrement si ces pertes sont abondantes. Elles s'accompagnent alors de rougeurs à la vulve ; on parle donc de vulvo-vaginite. En présence de grosses rougeurs, l'enfant peut aussi se plaindre de brûlements lorsqu'elle urine.

Un bain de siège peut aider (simplement asseoir l'enfant dans l'eau du bain pendant une dizaine de minutes, sans savon ni autre produit). Si les rougeurs et les pertes persistent ou sont récurrentes, ou encore si l'enfant a récemment souffert d'un mal de gorge ou de fièvre, il vaut mieux consulter son médecin.

▸ Quels sont les changements physiques liés à la puberté des jeunes filles et des garçons ?

Le terme « puberté » fait référence à un stade de maturation biologique pendant lequel la fille ou le garçon passe du statut physiologique de l'enfant au statut physiologique de l'adulte et devient capable de se reproduire. En moyenne, la puberté se déclenche vers 10 ou 11 ans chez les filles et vers 11 ou 12 ans chez les garçons. Ces changements sont provoqués par des hormones que le corps produit. Le cerveau déclenche la production d'hormones qui passent dans le sang, atteignent les diverses parties du corps et induisent les changements qui permettent au garçon et à la fille de devenir fertiles. Pour les filles, il s'agit principalement de l'œstrogène ; l'hormone mâle s'appelle la testostérone.

Plusieurs signes physiques confirment que la puberté a débuté. Chez les filles, ces changements touchent le développement des seins, l'apparition de poils à la région génitale et aux aisselles. Les glandes sudoripares des régions génitale et axillaire s'activent. Les ovaires, le vagin et l'utérus se développent. Le clitoris et les lèvres augmentent en volume. C'est également la période où la plupart des jeunes filles commencent à avoir leurs menstruations. L'âge moyen des premières menstruations est d'environ 12 ans et demi. Une jeune fille peut aussi avoir ses premières menstruations quelques années avant ou après. Avec l'arrivée des règles et des soins d'hygiène devenus nécessaires, la fille développe un nouveau rapport à son corps. La région vaginale devient plus lubrifiée, particulièrement lorsque survient une excitation sexuelle. Il s'agit d'une sensation avec laquelle les fillettes peuvent se sentir mal à l'aise au début. On peut alors leur expliquer que cette région du corps est tout simplement une muqueuse, tout comme la bouche, un milieu humide qui ne manque en rien de propreté, bien au contraire.

Les garçons voient apparaître des poils à la région génitale et aux aisselles ainsi que sur le visage. Le pénis et le scrotum augmentent en volume, et les épaules s'élargissent. Tôt ou tard, le garçon fait l'expérience de l'éjaculation, qui se produit souvent durant son sommeil, et le garçon aura des érections beaucoup plus fréquemment qu'auparavant. Il est important de discuter avec lui de cette manifestation physique afin d'éviter qu'il en éprouvant honte et dégoût.

▶ Quand doit-on parler de menstruations aux petites filles?

Vers l'âge de 7 ou 8 ans, il est important de parler aux fillettes des menstruations, de répondre à leurs questions et de les rassurer quant à leurs craintes. On peut leur expliquer qu'à partir d'un certain âge, le corps des filles se prépare tous les mois à faire des bébés. On peut alors préciser que c'est dans l'utérus que se développe le fœtus et que, lorsqu'il n'y a pas de bébé, l'enveloppe dans laquelle grandirait le bébé s'élimine d'elle-même en laissant couler du sang. Il est pertinent d'insister sur le fait qu'il s'agit d'un phéno-mène naturel, que ce qui sort du corps n'est pas « mal-propre » et qu'on utilise des serviettes hygiéniques ou des tampons pour ne pas salir les vêtements. On peut mentionner que les filles ressentent parfois des sensa-tions déplaisantes, sans aller jusqu'à dire qu'il est pos-sible qu'elle ressente aussi des crampes terribles! On avisera, le cas échéant...

Saviez-vous que...

Avec les menstruations, c'est la fécondité qui se concrétise chez la fille. Un aspect de sa vie «intérieure» se manifeste et devient enfin visible. Les menstruations sont un signe précis d'accès à la féminité, alors que le garçon ne dispose pas d'un indicateur aussi clair pour marquer le développement de sa masculinité.

Les comportements en lien avec la sexualité

▶ Comment réagir quand son enfant se masturbe?

La masturbation rend certains adultes mal à l'aise. Ils y voient une « mauvaise habitude » et s'interrogent sur la normalité de ce comportement et sur les limites à y donner. Or, il s'agit d'un comportement normal et fréquent chez les enfants, même jeunes. Une attitude trop restrictive ou punitive des parents peut amener l'enfant à renoncer à ses activités masturbatoires, mais ce dernier risque aussi de développer un sentiment de culpabilité envers le plaisir sexuel. Certains enfants peuvent décider de passer outre l'interdit parental et garder ces activités secrètes, mais cela risque de provoquer chez eux un conflit intérieur. Le parent qui interdit catégoriquement à son enfant de toucher à ses organes génitaux peut perturber sa sexualité. D'un autre côté, certains parents hésitent à encadrer ce comportement ou en parlent trop, dans le but parfois que l'enfant vive une sexualité épanouie, sans culpabilité, en connaissant mieux son corps. Ce dernier peut vivre cette situation comme une violation de son intimité ou comme un encouragement à multiplier cette activité, ce qui risque de provoquer une « surstimulation » sexuelle.

La meilleure marche à suivre, lorsqu'on surprend son enfant à se masturber en public (au salon, par exemple) est de lui expliquer qu'il y a des endroits appropriés pour cela. Qu'il s'agit d'une activité qui n'est pas une nécessité et que, de toute façon, ce geste sexuel doit se vivre en toute intimité.

Plus tard, vers 5-6 ans, l'enfant est généralement plus discret puisqu'il a intégré la notion d'intimité. Une fois qu'on a expliqué à l'enfant qu'il peut se retirer dans sa chambre, on s'attend à ce que le parent respecte aussi cette intimité et qu'il ne se rende pas à la porte de la chambre sur la pointe des pieds. Toutefois, si l'on juge que l'enfant s'isole trop souvent ou trop longtemps pour s'adonner à une activité masturbatoire, il faut chercher à le tirer de cet isolement afin qu'il investisse quelque chose de plus constructif. La masturbation compulsive est souvent liée à l'anxiété qu'elle vient apaiser. Trouver la source de cette anxiété et chercher à occuper l'enfant par une activité qui suscitera son intérêt lui permettra de passer à autre chose.

▶ Les jeux sexuels de mon enfant sont-ils normaux ? Et si non, que faire ?

Il est parfois difficile de savoir si un comportement ou un jeu sexualisé est normal ou non. Va-t-on mettre des limites, donner une information ou simplement laisser les enfants jouer tranquilles ?

De façon générale, les jeux sexualisés s'intègrent normalement dans un petit scénario (on joue au docteur, au papa et à la maman) qui donne lieu à une exploration sexuelle. Toutefois, dans tous les cas, les composantes sexuelles du jeu ne sont généralement ni isolées, ni très planifiées. L'attribution des rôles à un enfant et à l'autre varie, un petit garçon pouvant jouer le rôle de la maman, et ces jeux sexualisés peuvent se dérouler entre compagnons du même sexe sans que cela soit révélateur de la future orientation sexuelle de l'enfant. Dans ces jeux, il y a souvent un enfant « initiateur » mais qui n'est pas toujours le même ; la situation n'est pas pour autant abusive si l'enfant initiateur n'a pas une influence indue, qu'il éprouve de l'empathie et fait preuve d'un bon jugement.

On peut se sentir rassuré sur cette question des jeux sexualisés quand la sexualité de l'enfant s'exprime à l'occasion, d'une manière compatible avec son stade de développement et sans émotions trop intenses et négatives. Lorsque l'on en arrive à la conclusion qu'un comportement sexualisé est normal, on laisse aller sans s'inquiéter ou on encadre de façon minimale.

▶ Quelles sont les attitudes à favoriser avec l'enfant qui agit sexuellement d'une manière inappropriée ?

Dans certaines conditions, les jeux sexualisés surviennent trop souvent, prennent de trop grandes proportions ou se déroulent d'une manière inquiétante. Autant les jeux sexuels comptent lors de la découverte de soi et de l'autre, autant ils peuvent engendrer des situations d'abus de pouvoir d'un enfant sur un autre. Nous devons nous inquiéter si l'on retrouve, dans le jeu sexualisé, des sentiments de colère, de tristesse et d'agressivité. Nous pouvons alors nous questionner sur ce qui se passe vraiment et il convient alors d'intervenir par un encadrement plus précis ou en consultant un professionnel.

Des attitudes à favoriser avec l'enfant qui agit sexuellement

Être vigilant

· Ne pas laisser l'enfant qui présente un comportement sexuel problématique avec d'autres enfants du même âge ou plus jeunes : les parents, doivent être vigilants. Le message sous-jacent est le suivant : « Tu te contrôles difficilement ? Alors je le ferai avec toi. »

· Ne pas laisser un enfant qui présente un comportement sexuel problématique aller aux toilettes avec un autre enfant ou jouer dans sa chambre avec un ami quand la porte est fermée.

· Ne pas le laisser s'isoler trop longtemps.

· Interrompre calmement l'enfant pris sur le fait ; le faire avec une fermeté chaleureuse, en précisant ce qui se fait et ce qui ne se fait pas. C'est le comportement qui n'est pas « bon » et non pas lui, et vous êtes prêt à l'aider.

Communiquer à l'enfant des notions d'intimité et de respect

- Aborder avec l'enfant les notions de pudeur et d'intimité et les mettre aussi en application dans nos relations avec lui. Par exemple, les toilettes et la chambre à coucher sont des lieux privés, ce sont des pièces dont la porte peut se fermer et où on doit frapper avant d'entrer.

- Interrompre les blagues et les histoires à connotation sexuelle, et donner l'exemple en tant qu'adulte.

Informer et soutenir sur le plan affectif

- Répondre aux préoccupations sexuelles de l'enfant, lui fournir des renseignements clairs, cohérents.

- Dire à l'enfant que vous êtes disponible s'il veut vous parler (pour répondre aux questions et vous occuper de lui).

- Aider l'enfant à trouver des moyens pour interrompre le comportement.

- Aider l'enfant à trouver des activités ludiques et des jeux physiques adéquats afin qu'il puisse vivre des plaisirs partagés avec les autres, ses pairs ou des membres de sa famille.

Communication

▶ Quand et comment parler de sexualité avec son enfant?

Parler de sexualité avec son enfant ne signifie pas qu'il faut l'exposer à la sexualité telle qu'elle est comprise ou vécue par les adultes. Il faut le faire en se plaçant du point de vue de l'enfant. Il s'agit donc de regarder avec ses yeux et de penser avec ce qu'on croit qu'il peut voir et comprendre! Une information mal adaptée n'aide pas l'enfant à grandir. Au mieux, elle est inutile. Au pire (et malheureusement, c'est trop souvent ce qui se produit), elle lui fait peur et constitue une forme d'agression contre son imaginaire.

Saviez-vous que...

La sexualité joue un rôle fondamental dans l'élaboration de la structure psychique de l'enfant handicapé. Toutefois, du fait de ses limitations physiques ou intellectuelles, son développement psychosexuel suit un parcours différent, car il y a des embûches propres à sa condition. Cependant, comme tout enfant, celui qui est handicapé doit pouvoir s'exprimer dans la recherche du plaisir et dans sa quête identitaire.

Les enfants doivent entendre parler tôt de la sexualité et de façon authentique. Il est souvent nécessaire, quoique difficile, de faire un compromis entre en dire plus ou en dire moins. Cependant, il importe de toujours dire vrai, en évitant les fables comme celle des bébés conçus par magie ou celle du pénis qui tombe si on le tripote trop.

De plus, il est préférable d'utiliser les termes justes pour désigner les parties du corps et les parties génitales. Pour certains, ces mots sont encore empreints de tabous. Ainsi, un pénis devient un zizi, un pipi ou une quéquette, les testicules sont des gosses ou des couilles, le vagin s'appelle bizoune ou noune, les seins sont des boules et l'anus, un péteux. Que de termes imagés, mais souvent inutiles pour éviter de parler de pénis, de vagin, de vulve, de testicules… Les mots qu'on utilise pour nommer les organes génitaux suivront l'enfant, année après année. Pourquoi alors ne pas utiliser les vrais termes, que les enfants comprennent par ailleurs et qu'ils apprennent aussi facilement que les autres mots?

▶ Mon enfant a 5 ans et ne pose pas de question sur la sexualité. Que faire?

Le quotidien fournit une multitude d'occasions d'aborder avec l'enfant nombre d'aspects de la sexualité. Ainsi, le changement de couche de la petite sœur ou le bain partagé par le frère et la sœur sont des occasions de constater les différences anatomiques entre les deux sexes et d'en discuter. Le baiser échangé entre papa et maman ou entre deux personnages d'une série télévisée permet de faire allusion à la relation privilégiée qui existe entre deux personnes qui s'aiment, même si elles sont de même sexe, ce qui s'avère étonnant pour plusieurs enfants. Le déshabillage et les soins d'hygiène sont autant d'occasions de parler d'intimité et de respect de son corps et de celui des autres.

Quelques réponses à des questions d'enfants

▶ **Qu'est-ce que ça veut dire « faire l'amour » ? C'est quoi des « relations sexuelles » ?**

Faire l'amour ou avoir des relations sexuelles, c'est semblable, expliquera-t-on. Cela veut dire se donner des câlins et des caresses particulières qui sont agréables à donner et à recevoir. Ces caresses sont réservées aux adultes qui s'aiment beaucoup ; seuls les parents et les amoureux font ces gestes.

Si l'enfant demande : « C'est quoi les câlins et les caresses particulières ? », on lui répondra que les amoureux sont placés l'un contre l'autre et qu'ils se font des caresses partout sur le corps, que cela est agréable pour les deux, mais que c'est réservé aux adultes.

▶ **Comment fait-on les bébés ?**

Inévitablement, les petits s'interrogent sur l'origine des bébés. On doit leur présenter une information à la

...nple et concise. Pour faire un bébé, il faut ...une maman. Le papa donne une petite ...encontre un petit œuf dans le ventre de la ...ette petite graine et ce petit œuf, mis ...deviennent un bébé qui se développe tran-...t dans le ventre de la maman, dans un sac ...pelle l'utérus, un sac qui protège le fœtus, le ...chaud et où il est nourri pendant neuf mois ...u'il soit prêt à sortir.

▶ Comment la graine du papa et l'œuf de la maman se rencontrent-ils dans le ventre de la maman?

Les enfants un peu plus vieux posent souvent cette question. Et il faut bien leur communiquer cette réalité puisque de toute façon il s'agit d'un processus naturel. Les enfants comprennent que la fécondation se produit en faisant l'amour, en ayant une relation sexuelle. Pour ce faire, le pénis du papa entre dans le vagin de la maman. Plus tard, on leur expliquera qu'il y a du liquide qui sort du pénis du papa et qui contient la graine. Ce liquide permet à la graine de se rendre jusqu'à l'œuf, dans le ventre ou plus précisément dans l'utérus de la mère. À l'âge scolaire, quand les enfants ont besoin d'explications plus scientifiques, on leur parle de spermatozoïdes et d'ovule. Quant aux préados, il faut commencer à leur parler de contraception. Il est important de dire au garçon qu'il n'a pas encore de graines ou de spermatozoïdes qui sortent de son pénis et que cela se produira lorsqu'il sera grand.

On indiquera aussi à la fillette que, si elle le désire, elle pourra faire des bébés lorsqu'elle sera grande.

▶ Comment le bébé sort-il du ventre, par où passe-t-il?

«Tu te rappelles que, pour faire un bébé, papa doit mettre son pénis dans le vagin de maman pour déposer le spermatozoïde. Lorsque le bébé est prêt à naître, il quitte le ventre de la maman et il sort par le vagin, qui est fait pour cela. Le vagin sert en quelque sorte d'entrée et de sortie au bébé. »

▶ Pourquoi les femmes ont-elles des seins ?

En fait, les femmes et les hommes ont des seins. Ceux des petites filles vont grossir, contrairement à ceux des garçons. Lorsqu'une femme a un bébé, ses seins produisent naturellement du lait, pour nourrir son petit.

▶ Est-ce que mon pénis va pousser ?

Le garçon se demande parfois si son pénis va rester petit toute sa vie. On peut lui expliquer que, depuis sa naissance, toutes les parties de son corps ont grandi, même son pénis. Que tout son corps va continuer à grandir jusqu'à sa pleine puberté quand il sera un grand adolescent. On peut ajouter que tous les garçons ne grandissent pas au même rythme, que les garçons n'ont pas la même taille de jambe, de pied et que c'est la même chose pour le pénis.

▶ Pourquoi mon pénis grossit-il ?

« Il y a plusieurs raisons qui font grossir ton pénis. Parfois, il grossit quand tu as très envie de faire pipi. Parfois, il grossit quand tu le touches, en prenant ton bain ou à d'autres moments, et quand cela fait des chatouilles agréables dans ton pénis. C'est normal, cela arrive à tous les petits garçons et on appelle cela '' avoir une érection ''. »

Éducation et prévention

▶ Comment réagir au courant d'hypersexualisation véhiculé par la publicité et les produits de consommation ?

Les enfants sont abreuvés et bombardés d'images et d'information fournies par les médias. Ceux-ci donnent fréquemment une image faussée de l'amour et de la sexualité en banalisant les comportements sexualisés et l'acte sexuel, et ils traitent le plaisir de manière immédiate, tout en donnant une image déformée des rapports entre les hommes et les femmes. La vigilance s'impose. Pas nécessairement pour censurer ou contrôler tout ce qui est vu et entendu par les enfants, mais plutôt pour s'assurer qu'ils ne soient pas laissés seuls et qu'ils puissent trouver des personnes de confiance avec qui en discuter.

Afin d'être crédible dans notre encadrement, il est bon d'être plus familier avec ce qui semble intéresser notre enfant : regarder avec lui les vidéoclips à la mode, lui demander ce qu'il pense des vêtements que portent le chanteur vedette ou les stars, aller magasiner avec lui et négocier. On crée ainsi des occasions de discuter de ce que nous croyons acceptable et de ce qui ne l'est pas en ayant des arguments plus valables. On peut également éviter la rigidité et faire certain compromis : « Ce vêtement n'est pas pour l'école mais tu peux le porter durant la fin de semaine. »

Apprenons à nos enfants à être critiques face aux messages véhiculés par les médias, discutons ensemble des enjeux qui se cachent derrière ces messages, par exemple les profits des compagnies et leur manque de conscience face aux impacts sur les jeunes. De plus, il importe de considérer que la télévision et l'Internet ne sont pas de véritables outils d'éducation à la sexualité parce qu'ils ne répondent pas nécessairement aux questions que se posent les enfants et parce qu'ils ne calment pas leurs angoisses. Toutefois, ils peuvent servir d'outils accessoires, quand les parents supervisent, interprètent et guident un enfant qui passe de longues heures devant ces médias.

Enfin, faisons preuve de fermeté lorsque nos convictions l'emportent. Il revient à l'adulte de prendre ultimement certaines décisions, et au jeune d'apprendre à vivre un peu de frustration.

▶ Comment protéger mon enfant des agressions sexuelles ?

Les enfants n'ont ni l'expérience, ni la maturité nécessaire pour savoir et surtout pour comprendre que des personnes veuillent profiter d'eux, les agresser et leur faire du mal. Par ailleurs, cette perspective n'est pas sans inquiéter les parents. Comment protéger les enfants de telles expériences néfastes et traumatisantes ? Comment les éduquer pour qu'ils interagissent avec leur environnement en minimisant la vulnérabilité inhérente au fait d'être un enfant, sans toutefois les effrayer inutilement ?

Les programmes de prévention destinés aux enfants abordent la question sous différents aspects. De façon générale, on explique à l'enfant que son corps lui appartient et qu'il peut refuser que l'on touche ou que l'on caresse ses parties sexuelles ou toute autre partie de son corps. On tente de l'aider à distinguer les « bons » touchers des « mauvais » et à reconnaître les situations plus dangereuses. Dans ces programmes, il est aussi question de la notion de « secret » : il y a ces secrets qui sont agréables à garder pour soi et il y a les autres, ceux qui rendent triste et qu'il est important de révéler. À cet égard, on amène l'enfant à identifier les personnes de confiance auprès desquelles il peut se confier et recevoir de l'aide. Le but ultime consiste à rendre l'enfant moins vulnérable sans toutefois l'amener à stigmatiser son entourage.

On considère généralement que ces programmes rendent les enfants plus compétents et permettent à certains de saisir l'occasion de dévoiler une agression sexuelle dont ils seraient victimes. Mais il est primordial de tenir compte de l'âge de l'enfant en matière de prévention ; c'est une question d'efficacité et de respect pour eux. Il ne faut pas oublier que les enfants, surtout en bas âge, ne comprennent pas certains messages, même si ceux-ci nous paraissent évidents. De plus, une information occasionnelle ne constitue pas une solution efficace et, s'il est utile de leur fournir certains renseignements, d'autres peuvent provoquer de l'angoisse et nuire à leur paix d'esprit.

Les enfants ont d'abord besoin d'entendre parler d'amour, bien avant d'écouter des histoires de transgression et de risques d'agression. C'est là le cœur de la prévention. Apprendre à se connaître, à prendre soin de soi, à s'estimer, à se faire confiance, à se respecter, à exprimer ses émotions et à communiquer avec les autres, voilà le fondement de la prévention. Dans cette voie, la prévention devrait compléter l'éducation sexuelle générale. Parler avec l'enfant de ce qui constitue l'intimité corporelle et affective l'amène à considérer son corps et sa sexualité comme précieux et dignes de respect. Il se sent alors plus à l'aise, plus apte à assumer sa sexualité, à se positionner devant les propositions qui lui sont faites et à s'en défendre si nécessaire.

Mais malgré tous les efforts de prévention et d'information auprès des enfants, ceux-ci restent vulnérables. Ce sont des enfants et ils sont désavantagés dans un rapport de force avec un adulte ou une personne plus âgée qui a une influence sur eux. On ne peut pas demander aux petits d'assumer eux-mêmes leur sécurité. La prévention des agressions sexuelles ne relève certainement pas de leur responsabilité, mais plutôt de celle des adultes qui veulent et doivent protéger les enfants. Tout enfant a le droit qu'on s'assure de la compétence des personnes à qui on le confie, qu'on veille à ce qu'il circule en toute sécurité, par exemple en s'assurant qu'il est accompagné pour se rendre à l'école, qu'on l'encadre en connaissant son réseau social et en sachant en tout temps où et avec qui il se trouve.

Annexe
Le développement psychosexuel normal
chez l'enfant de 0 à 12 ans

L'enfant de 0 à 2 ans

▸ L'enfant est très près de ses parents avec qui il a des contacts sensuels sur l'ensemble de son corps.

▸ Progressivement, l'enfant se sépare psychiquement de la figure maternelle (processus de séparation-individuation) et peut s'attacher à un objet favori (objet transitionnel) symbolisant la mère en son absence.

▸ De 0 à 15 mois, la bouche est une zone érogène importante par laquelle se font l'exploration du monde et l'expérience du plaisir (phase orale).

▸ De 15 mois à 2 ans et demi, la zone anale prend de l'importance au niveau des sensations et des enjeux qui y sont associés (phase anale avec apprentissage du contrôle, tant des sphincters que de soi-même et de la relation à l'autre).

▸ L'enfant explore l'ensemble de son corps, motivé par la curiosité et la recherche de plaisir sensuel.

▸ Des réflexes d'érection et de lubrification sont présents. Sans être des réactions à des stimulations érotiques, ce sont des réponses au toucher (par exemple, le changement de couche), à la friction ou au besoin d'uriner.

▶ Le garçon découvre ses organes génitaux vers 8 mois et la fille, vers 10-12 mois, avec autostimulation génitale occasionnelle.

▶ La masturbation est fréquente dès 20 mois. Elle a comme objectif l'apaisement (parfois obtenu par des bercements), le réconfort et la recherche du plaisir.

▶ L'enfant aime être nu et il a tendance à vouloir regarder le corps des autres ou à vouloir le toucher.

▶ Il est curieux de la fonction d'élimination et progressivement des différences anatomiques homme-femme.

▶ C'est le début de l'acquisition de l'identité de genre ; l'enfant peut différencier garçons et filles par les attributs externes comme les vêtements et la coiffure.

▶ Avec l'apparition du langage, il peut désigner des parties du corps, y compris les organes génitaux.

L'enfant de 3 à 5 ans

▶ C'est l'époque de la pensée concrète et de la pensée magique, de l'imagination, des fantasmes et des peurs diverses. Progressivement, l'enfant fait une meilleure distinction entre le réel et l'imaginaire.

▶ La symbolisation est acquise et l'enfant joue abondamment à des jeux de rôle (papa-maman, docteur, marié), motivé par la curiosité et le désir d'expérimentation des rôles sexuels.

▸ Il y a un renforcement de l'attachement et un désir de rapprochement avec le parent du sexe opposé (phase œdipienne).

▸ Dans ce cadre, l'enfant affirme son propre sexe ; son identité sexuelle est en voie d'être établie.

▸ Il manifeste un intérêt marqué pour les différences anatomiques, pour l'origine des bébés, les fonctions d'élimination et les orifices du corps.

▸ Il se masturbe à l'occasion, motivé par un besoin de détente, de réconfort ou de plaisir.

▸ Il y a une augmentation de l'exhibitionnisme (il aime être nu et se montrer) et du voyeurisme (il s'intéresse au corps d'autrui, adulte ou enfant) au moment du bain, de la toilette, de l'habillage…

▸ Il a le désir de toucher les parties du corps des parents (seins, pénis) davantage dans le cadre d'une curiosité et d'une recherche des limites que d'une activité sexuelle comme telle.

▸ Il pratique des jeux sexuels occasionnels avec ses amis ou avec sa fratrie (exploration mutuelle).

▸ Dans le langage, il fait référence aux fonctions d'élimination ou à l'anatomie sexuelle (pipi, caca, fesses, pet… pouet !).

L'enfant de 6 à 8 ans (période de latence)

▸ D'une part, l'enfant investit la sphère scolaire ; il a le désir de se conformer aux normes sociales, il intègre les interdits (comportements sexuels faits secrètement) et des conventions sociales concernant la sexualité et les rôles sexuels.

▸ L'enfant a besoin d'intimité, de pudeur au sein de la famille ; il est embarrassé devant la nudité ou les références à la sexualité.

▸ Il montre du dégoût pour les relations hétérosexuelles et se regroupe avec des pairs du même sexe.

▸ Il y a un retour vers un meilleur contact avec le parent du même sexe (résolution de l'Œdipe).

▸ D'autre part, il a des comportements de désinhibition occasionnels (brèche dans les mécanismes de défense), de masturbation privée occasionnelle, de jeux sexuels secrets avec les pairs (comparaisons du corps, touchers interactifs…). Ces jeux peuvent être hétérosexuels ou homosexuels sans que cela soit indicatif de son orientation sexuelle future.

▸ Il échange de l'information avec ses pairs et pose des questions plus précises aux adultes sur la conception et la naissance ; le développement de la pensée abstraite contribue à ces nouveaux questionnements.

▸ Il fait des blagues et utilise parfois un langage vulgaire dont il ne comprend pas toujours le sens réel.

▸ Son sentiment d'identité sexuelle est établi et reste constant.

▸ Les jeux de rôles sociaux (papa-maman…) sont importants.

L'enfant (préadolescent) de 9 à 12 ans

▸ Au cours de cette période de transition vers l'adolescence, il y a l'apparition de la puberté et le développement des caractéristiques sexuelles secondaires qui génère une certaine fierté ou une certaine gêne.

▸ Le développement de l'image de soi est très affecté par les commentaires extérieurs et la comparaison avec la norme (intégration des normes sociales).

▸ Sensations sexuelles et masturbation privée ou parfois mutuelle (dont la motivation est plus clairement la recherche de plaisir orgasmique) sont présentes.

▸ Il y a apparition des fantasmes à connotation sexuelle.

▸ L'intérêt pour le sexe opposé s'accroît ; cette période marque le début des fréquentations et de l'intimité physique (baisers, attouchements).

▸ Le préado recherche de l'information sur la fonction des organes sexuels et en discute avec ses pairs.

▸ Il manifeste beaucoup de pudeur et il accorde de l'importance à l'intimité face à la nudité.

▸ Le préado a une plus grande prise de conscience de son identité et de son orientation sexuelle.

Pour en savoir plus...

CLERGET, Stéphane. *Nos enfants aussi ont un sexe : comment devient-on fille ou garçon ?* Paris : Robert Laffont, 2001.

HAYEZ, Jean-Yves. *La sexualité des enfants.* Paris : Odile Jacob, 2004.

OLIVIER, Christiane. *L'enfant et sa sexualité.* Paris : Fayard, 2001.

ROBERT, Jocelyne. *Parlez-leur d'amour et de sexualité : faire l'éducation sexuelle de ses enfants et de ses ados.* Montréal : Éditions de l'Homme, 1999.

RUFO, Marcel. *Tout ce que vous ne devriez pas savoir sur la sexualité de vos enfants.* Paris : éd. Anne Carrière, 2003.

SAINT-PIERRE, Frédérique et Marie-France VIAU. *La sexualité de l'enfant expliquée aux parents.* Montréal : Éditions du CHU Sainte-Justine, 2006.

LES ENFANTS

Charlotte et Tristan Bilodeau, en couverture
Maxime Lévesque, page 2
Sarah-Mai Moore, pages 8 et 16
Chloé Boulay, pages 31 et 36
Félix et Florence Leclerc Lamontagne, p. 32
Clémence Lavigueur, p. 56
Marie-Josée Gaboury et ses deux filles, p. 65
Marie et Philippe Dewolf, p. 72

Achevé d'imprimer en juillet 2008
sur les presses de l'imprimerie
LithoChic inc.
à Québec